Chers parents

Bouclez votre ceinture ! Vous al... votre enfant dans une aventure p... Destination : la lecture autonome ...

Grâce au **Chemin de la lecture**, v... ...ez votre enfant à y arriver sans peine. Le programme offre des livres de cinq niveaux, appelés km, qui accompagneront votre enfant, de ses tout premiers essais jusqu'à ce qu'il puisse lire seul sans problème. À chaque étape, il découvrira des histoires captivantes et de superbes illustrations.

Je commence
Pour les enfants qui connaissent les lettres de l'alphabet et qui ont hâte de commencer à lire.
• mots simples • rythmes amusants • gros caractères
• images éloquentes

Je lis avec un peu d'aide
Pour les enfants qui reconnaissent certains sons et qui en devineront d'autres grâce à votre aide.
• phrases courtes • histoires prévisibles • intrigues simples

Je lis seul
Pour les enfants qui sont prêts à lire tout seuls des histoires simples.
• phrases plus longues • intrigues plus complexes
• dialogues simples

Mes premiers livres à chapitres
Pour les enfants qui sont prêts à affronter les livres divisés en chapitres.
• petits chapitres • paragraphes courts • illustrations colorées

Les vrais livres à chapitres
Pour les enfants qui n'ont aucun mal à lire seuls.
• chapitres plus longs • quelques illustrations en noir et blanc

Pas besoin de se presser pour aller d'une étape à l'autre. **Le Chemin de la lecture** ne s'adresse pas à des enfants d'un âge ni d'un niveau scolaire particuliers. Chaque enfant progresse à son propre rythme : il gagne en confiance et tire une grande fierté de pouvoir lire, peu importe son âge ou son niveau scolaire.

Détendez-vous et profitez de votre voyage — sur Le Chemin de la lecture !

Photographie de la couverture : Tom Wolfson, Jennifer Hoon, James La Bianca, Steve Alfano et Judy Tsuno.

A GOLDEN BOOK • New York
Golden Books Publishing Company, Inc. New York, New York 10106

© 2000 Les presses d'or (Canada) inc. pour l'édition française.
7875, boul. Louis-H.-Lafontaine, bureau 105
Anjou (Québec) Canada H1K 4E4
Cliquez-nous à www.lespressesdor.com

Dépôts légaux 4ᵉ trimestre 2000.
Imprimé au Canada.   Isbn : 1-896420-85-0.

Barbie™

barbie.com :
la troupe de ballet

Texte : Barbara Richards
Illustrations : S.I. International
Adaptation française : Le Groupe Syntagme inc.

Julie et Michelle adorent le ballet.
Elles prennent des leçons
à l'école de danse de Madame Margo.

Tous les vendredis, les fillettes
se rendent à leur leçon en vélo.
Ce n'est pas facile.
L'école est située tout en haut de la
côte.
« Allez, Michelle, l'encourage Julie.
Madame Margo sera fâchée si nous
sommes en retard.
– Madame Margo t'adore, dit
Michelle hors d'haleine en tentant
de pédaler plus vite.
Elle ne se mettra pas en colère
contre toi. »

Julie et Michelle
se précipitent dans le studio.
Madame Margo les accueille.
«Bonjour les filles !» s'exclame-t-elle.
Madame Margo sourit à Julie.

« Tu vois ce que je veux dire ? »
chuchote Michelle.
Puis Madame Margo frappe
deux fois dans ses mains :
elle a quelque chose à dire.

« Dans un mois, nous présenterons
un grand spectacle, dit-elle.
Nous danserons *Le Papillon magique.* »
Toute la classe lance
des cris de joie.

« Vous aurez toutes un rôle important.
Il y aura beaucoup de fées,
explique Madame Margo.
Et Julie sera notre papillon. »

Michelle se mord les lèvres.

Elle aurait tant aimé être le papillon.

Mais, c'est vrai, Julie danse mieux qu'elle.

Michelle s'efforce de se réjouir pour
son amie.

Le lendemain, Julie téléphone à Michelle.
« Veux-tu venir chez moi ? demande-t-elle.
Nous pouvons nous exercer
pour le spectacle.
– D'accord », répond Michelle.
Elle enfourche son vélo et se rend chez
Julie.

Tout d'abord, les filles répètent le rôle
de Michelle.

Un, deux, trois.

« C'est facile d'être une fée, s'exclame
Michelle.

– Tu seras la plus jolie fée sur la scène »,
affirme Julie.

Puis, les filles répètent le rôle de Julie.

Un, deux. Un, deux, trois.

« Chassé ! Jeté ! Pirouette !

– C'est difficile d'être un papillon,
déclare Julie.

– Ne t'inquiète pas, répond Michelle.
Je t'aiderai à t'exercer tous les jours. »

Il ne reste plus qu'une semaine
avant le spectacle.

Après la leçon de danse, Julie est pleine
d'énergie.

«Faisons une course!» s'écrie-t-elle.

Les deux amies dévalent la pente raide
à toute vitesse.

Tout à coup, la bicyclette de Julie heurte
un caillou. Julie perd le contrôle
et atterrit dans un buisson.
«Ça va?» lui demande Michelle.
Julie tente de se mettre debout.
«Ma cheville!» pleurniche-t-elle.

À l'hôpital, le médecin annonce
une mauvaise nouvelle à Julie.
« Ta cheville est cassée, lui dit-il.
Tu devras porter un plâtre pendant
six semaines. »
Julie ne pourra pas participer
au spectacle, c'est certain !

«Bonté divine ! s'exclame Madame
Margo en voyant le plâtre de Julie.
Il faut trouver un nouveau papillon
magique.
Mais qui peut apprendre ce rôle en moins
d'une semaine ?»

À ces mots, Julie sourit.

«Moi, je sais ! répond-elle.

Michelle connaît mon rôle.

Elle pourrait faire le papillon magique !»

Madame Margo entoure Michelle
de ses bras.

« Peux-tu le faire ? demande-t-elle.

– Bien… Je crois », répond Michelle.

Danser le premier rôle, c'est ce que
Michelle souhaite plus que tout.
Mais elle est inquiète.
« J'ai peur de ne pas être assez bonne,
confie-t-elle à son amie.

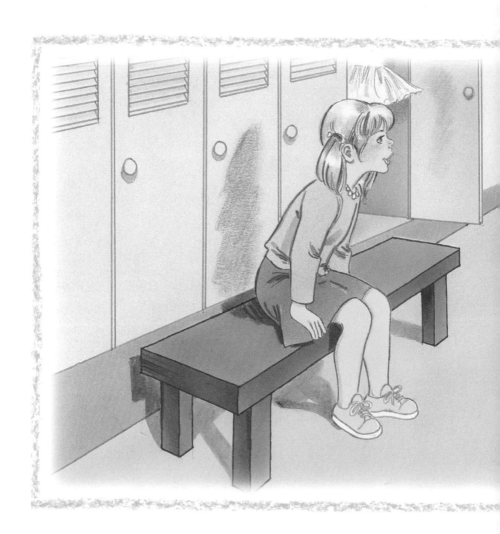

– J'ai une idée ! s'exclame Julie.

Allons voir Barbie.

C'est une ballerine.

Elle pourra peut-être t'aider.

– Tu as raison ! » approuve Michelle.

Arrivées chez Michelle,
elles allument l'ordinateur.
Michelle tape *barbie.com.*
Bientôt l'écran se met à scintiller.
Rose pâle ! Rose vif ! Rose bonbon !

L'écran de l'ordinateur commence
à grossir.

Michelle aide Julie, empêtrée dans
ses béquilles.

Les deux petites filles pénètrent
dans le brouillard rose.

« Bonjour les filles ! » dit une voix.

C'est Barbie !

Les yeux de Barbie se posent
sur le plâtre de Julie.

« Qu'est-il arrivé ? »
demande-t-elle.
Julie raconte à Barbie sa chute en vélo.
Elle lui parle aussi du grand spectacle.

«Oh, Barbie ! s'écrie Michelle.
J'ai besoin de ton aide ! »
Elle confie à Barbie que c'est
maintenant elle qui doit incarner
le papillon.
«Nous pensions que tu pourrais donner
quelques conseils à Michelle», ajoute Julie.

« Je peux bien essayer,
répond Barbie.
Je vais enfiler mes vêtements de danse. »
Michelle et Julie attendent Barbie
dans le bureau.
« Wow ! s'exclame Michelle, en montrant
les photos affichées au mur.

C'est Barbie qui danse !
– C'est Barbie dans
Le Lac des cygnes ! s'exclame Julie.
– On la voit ici dans *Casse-Noisette* ! »
ajoute Michelle.

Barbie les appelle.

« Venez », dit-elle en souriant.

Dans le salon,

Barbie a roulé le tapis et déplacé

les fauteuils.

« Voici notre scène », dit-elle aux filles.

Barbie et Michelle font un
réchauffement.

Puis elles commencent à danser.

« Un, deux. Un, deux, trois,
compte Barbie. Redresse les épaules.

Pointe les orteils »,

répète-t-elle à Michelle.

Barbie montre à Michelle
comment placer ses bras.
Et comment garder son dos bien droit.
« Tu es très bonne ! » l'encourage-t-elle.

Mais Michelle est toujours inquiète.

« Et si je rate tout ? » demande-t-elle.

Barbie la serre dans ses bras.

« La chose la plus importante,

dit-elle, c'est de croire en soi. »

« Toi, Barbie, es-tu nerveuse
sur scène ? » demande Julie.
Barbie vient s'asseoir près d'elle.
« Bien sûr, dit-elle.
J'ai des papillons dans l'estomac avant
chaque représentation !

Une fois, avant une représentation
de *La Belle au bois dormant,*
poursuit Barbie,
j'étais très nerveuse.
Mais lorsque j'ai commencé à danser
et à m'amuser, j'ai complètement
oublié ma peur. »

« Ah, si au moins je pouvais avoir
des papillons... » soupire Julie
en regardant son gros plâtre blanc.
Michelle tente de réconforter son amie.
« Je sais ce qui pourrait te
rendre le sourire », déclare Barbie.

Barbie sort une boîte
de marqueurs magiques.
Elle dessine un papillon rose
sur le plâtre de Julie.
Michelle dessine un papillon vert.

Bientôt, le plâtre de Julie
est couvert de papillons.
Julie retrouve le sourire.
«Merci!» s'exclame-t-elle.

C'est le temps de rentrer.
Les filles supplient Barbie
de venir assister au spectacle.
« Je vais faire mon possible »,
répond Barbie en allumant son
ordinateur.

Julie et Michelle

disent au revoir à Barbie.

« Merci pour tout, Barbie ! » disent-elles.

Puis elles traversent à nouveau

le brouillard rose.

Elles sont vite de retour

dans la salle d'ordinateur chez Michelle.

« C'était amusant ! déclare Julie.

– Barbie est vraiment super,

approuve Michelle.

J'espère qu'elle pourra venir au spectacle. »

Le lendemain, Julie vient
rendre visite à Michelle.
« J'ai une surprise pour toi »,
dit-elle en tendant à Michelle
un paquet enveloppé
de papier de soie vert.

« Tes chaussons de ballet !
s'exclame Michelle en ouvrant la boîte.
– J'espère qu'ils te porteront chance »,
dit Julie.
Michelle serre Julie très fort dans ses bras.
« Merci ! s'exclame-t-elle.
Mais je suis déjà bien chanceuse.
J'ai la chance de t'avoir
comme meilleure amie ! »

C'est bientôt l'heure du spectacle.

Michelle tire le rideau

pour jeter un coup d'œil dans

la salle.

Ses parents sont là avec sa petite sœur.

Julie y est aussi, dans la première rangée !

L'estomac de Michelle est rempli
de papillons.

Puis elle se souvient des paroles de Barbie.

Il faut s'amuser.

Et toujours croire en soi !

Michelle danse et
pirouette sur la scène.

À la fin du spectacle,
le public applaudit.
Michelle sourit.
J'espère que Barbie est là,
se dit-elle.
Puis elle salue.

Après le spectacle,
Julie passe la nuit chez Michelle.
«Jouons à l'ordinateur»,
propose Michelle.
Soudain, l'écran d'ordinateur
se met à clignoter.

Une paire de chaussons de ballet roses
dansent sur l'écran.

« C'est un message spécial de Barbie ! »
s'écrie Michelle.

Tu as été parfaite ! dit le message.

Le spectacle était vraiment magique !